La Tierra y el Universo

Vemos la Relación Entre la Tierra y el Sol, la Luna y las Estrellas

Explicamos aquí a los niños los fenómenos naturales y las actividades humanas relacionadas con la astronomía y el universo. Durante sus vacaciones de verano, los protagonistas intentan comprender muchos de los enigmas que presenciamos a diario, como las mareas, las fases lunares o las estaciones del año. Una guía pedagógica seguida por una interesante actividad práctica ayudan a los niños y también a personas mayores a comprender las leyes del universo.

Spanish translation of *La Tierra y el Universo*
©Copyright 1998 by Barron's Educational Series, Inc.

©Copyright TREVOL PRODUCCIONS EDITORIALS S.C.P., 1998. Barcelona, Spain.

Original title of the book in Catalan: *La Terra i l'Univers; la influència de l'Univers a la Terra.*

Address all inquiries to:
Barron's Educational Series, Inc.
250 Wireless Boulevard
Hauppauge, New York 11788
http://www.barronseduc.com

International Standard Book Number 0-7641-0761-5

Library of Congress Catalog Card Number 98-73391

Printed in Spain

987654321

La Tierra y el Universo

Vemos la Relación Entre la Tierra y el Sol, la Luna y las Estrellas

Texto: Miquel Pérez Ilustraciones: Maria Rius

BARRON'S

Desde muy antiguo, la gente ha festejado la llegada del verano, del buen tiempo y de la recolección de las cosechas. En los países del norte de la Tierra, el 21 de junio marca el fin de la primavera. Es el día en que la gente celebra el solsticio de verano, el día más largo del año. Sin embargo, para los que viven en los países del sur del planeta, esta fecha representa el día más corto y además el fin del otoño.

Para los niños del norte desde ahora los días irán acortándose, hasta que el 22 de diciembre llegue el solsticio de invierno y sea entonces el día más corto del año. La Tierra habrá dado una vuelta completa alrededor del Sol y habrá pasado un año. Pero para los muchachos que viven en el sur de la Tierra, el 22 de diciembre será el día más largo, ¡pocos días antes de una calurosa y soleada Navidad!

He comenzado mi cuaderno de vacaciones. En él he dibujado la explicación que nos dieron en la escuela sobre las cuatro estaciones del año y sobre la traslación de la Tierra alrededor del Sol. ¿Tú ya tienes tu cuaderno?

Nuestras vacaciones de verano han comenzado. Toda la familia se va de viaje.

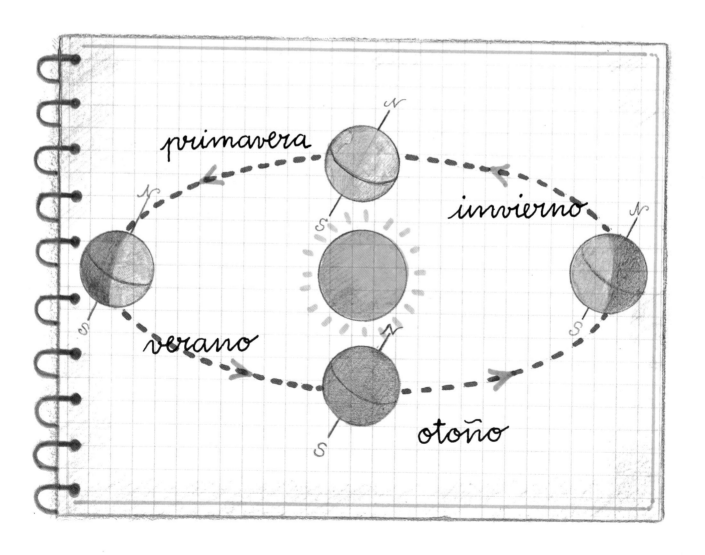

Después de un largo viaje, esta mañana nos hemos levantado temprano para ir a comprar el pan y...¡qué sorpresa! El reloj del pueblo marcaba dos horas menos que nuestros relojes. Nuestros padres nos explicaron entonces que esta diferencia se debe a que estuvimos viajando de este a oeste, en la misma dirección del Sol. Como resultado, el Sol aquí se pone dos horas más tarde. En el cuaderno hemos anotado que la Tierra tarda un día en girar sobre sí misma. A medida que gira, el Sol va iluminando distinas zonas de su superficie. Cuando la zona en que estamos queda iluminada por el Sol, es de día, y por lo tanto al otro lado de la Tierra es de noche.

Ahora salimos a explorar cerca de nuestro campamento. ¡Fíjate! Aquí, en medio de estas rocas y casi sin tierra, crecen plantas. En cambio, dentro de la cueva oscura no crece nada. Nuestros padres nos explicaron que las plantas no pueden vivir sin la luz del Sol, el cual es su principal fuente de energía. Las plantas absorben los rayos solares y usan esta energía para hacer sustancias necesarias para vivir. En este proceso, las plantas producen el oxígeno que nosotros necesitamos para respirar. Como ves, el Sol es vida para todos.

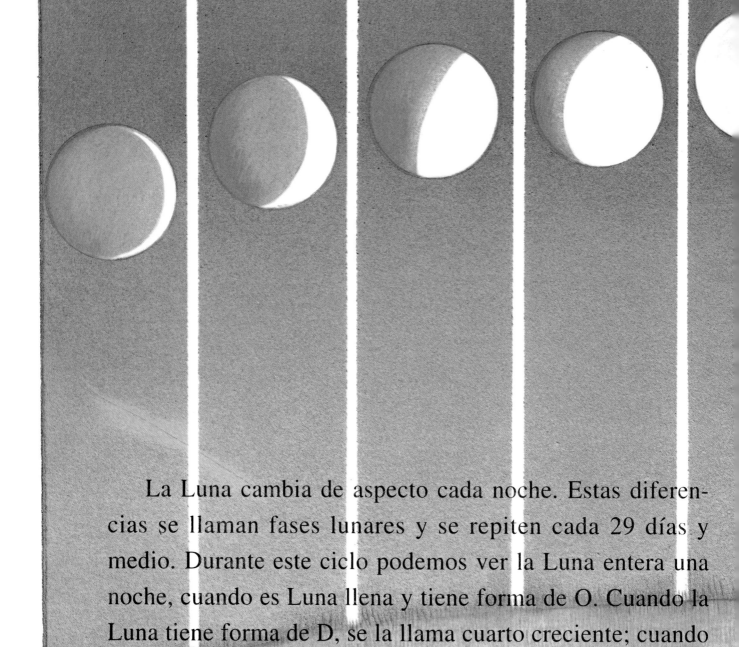

La Luna cambia de aspecto cada noche. Estas diferencias se llaman fases lunares y se repiten cada 29 días y medio. Durante este ciclo podemos ver la Luna entera una noche, cuando es Luna llena y tiene forma de O. Cuando la Luna tiene forma de D, se la llama cuarto creciente; cuando tiene forma de C es cuarto menguante y cuando casi no la vemos es Luna nueva.

Esta noche tuvimos la suerte de poder ver un eclipse de Luna. Cuando la Tierra se interpone entre el Sol y la Luna, podemos ver cómo la sombra de nuestro planeta cubre lentamente a su satélite. La Luna no desaparece del todo sino que se sigue viendo, aunque mucho más oscura.

Cuando la Luna pasa por delante del Sol y lo tapa, se produce un eclipse de Sol.

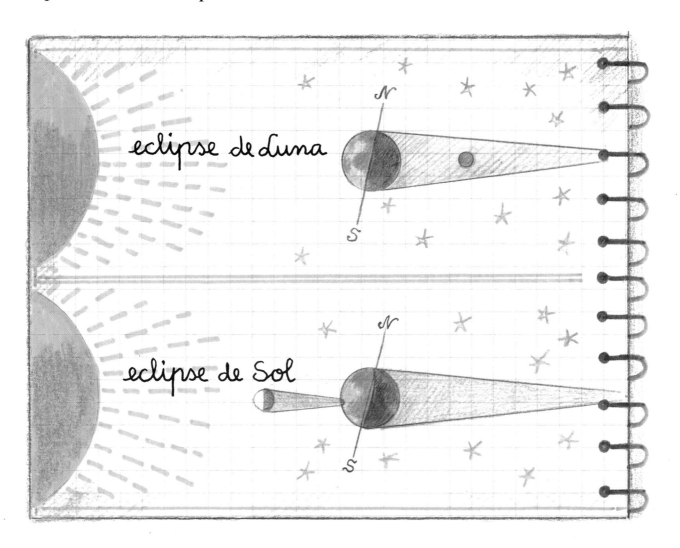

Hoy comprobamos cómo el agua del mar sube y baja de nivel. Esta mañana fuimos caminando por la arena hasta las rocas y ahora no podríamos llegar a menos que nadáramos. Las causantes de que suba o baje el nivel de agua de los océanos es la fuerza de atracción de la Luna y, en menor medida, la del Sol. Este fenómeno se conoce como las mareas.

Una noche vimos un cometa. Los cometas son grandes bolas de nieve sucia, de varios kilómetros de ancho. De vez en cuando sus órbitas pasan cerca del Sol. A medida que se acercan, el hielo comienza a fundirse y se forma una larga cola de gas y polvo.

Una leyenda cristiana cuenta que los tres Reyes Magos que venían del Oriente a adorar al niño Jesús fueron guiados por un cometa que les indicaba el camino: la Estrella de los Reyes.

Mientras viajábamos, hablamos sobre la Tierra y el universo. Desde la época de los babilonios y los egipcios, los hombres se han preocupado por entender el universo. Fueron los griegos los primeros que intentaron explicarlo sin recurrir a causas sobrenaturales. Las teorías del filósofo Aristóteles primero y las del destacado astrónomo Ptolomeo

después sostenían que la Tierra era el centro del universo. Estas teorías predominaron en el mundo de la astronomía por quince siglos.

Más tarde Copérnico y Galileo (quién se dice que inventó el telescopio) afirmaron correctamente que la Tierra y los demás planetas giraban alrededor del Sol.

Fuimos luego al museo de la ciencia. En la sala dedi-
cada a la exploración lunar vimos la reproducción del
inmenso cohete Saturno V que llevó a Armstrong y
Aldrin a la superficie lunar.

Los astronautas comprobaron que en la Luna no hay oxígeno, que nada vive, que las noches son heladas y los días tórridos. También se divirtieron dando grandes saltos con poco esfuerzo (gracias a la escasa fuerza de gravedad de la Luna), tomaron fotografías y recogieron muestras de polvo y rocas. En viajes sucesivos exploraron nuestro satélite a bordo de un vehículo lunar.

Vimos más tarde la exposición de artefactos lanzados para explorar el sistema solar. Las sondas Voyager nos han enviado fotografías y datos sobre Júpiter, Saturno, Urano y Neptuno. Pese a que ya han pasado la órbita de Plutón, estos maravillosos dispositivos siguen enviándonos información.

La exposición incluyó a varios satélites. Estos también son aparatos no tripulados, enviados por los científicos para que nos manden imágenes mientras giran alrededor de la Tierra. Algunos retransmiten señales de radio y televisión; otros, como el Meteostat, son de gran utilidad para los meteorólogos. El magnífico telescopio Hubble está en órbita encima de la atmósfera, o sea que no está rodeado de aire y puede por eso observar con claridad el universo.

Con esta computadora y a través del internet podremos comunicarnos con los tripulantes de la estación orbital Mir. Esta estación es un laboratorio que gira alrededor de la tierra y permite realizar experimentos científicos para estudiar el comportamiento de hombres, animales y plantas en ausencia de la fuerza de gravedad.

—Fíjate, ahora nos dicen que Mir es ya una estación anticuada y que dentro de poco será sustituida por la nueva estación Alfa.

¿Quieres hacer un viaje virtual? Visitemos las futuras bases lunares mediante esta computadora.

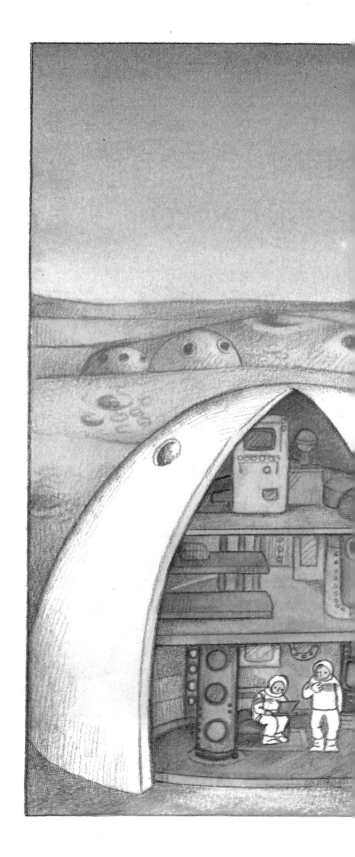

Llenar este cuaderno con las experiencias vividas fue fácil y divertido. Sigamos teniendo los ojos bien abiertos para ver y comprender cómo funciona el universo desde este pequeño planeta, nuestra Tierra.

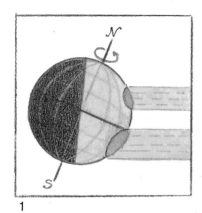

1

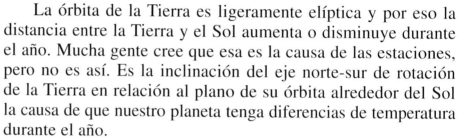

2

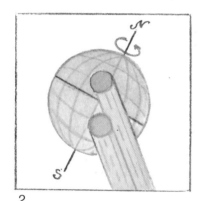

3

Guía Pedagógica

Comprender las consecuencias de los movimientos de la Tierra, la Luna y el Sol en el espacio no es fácil. Aunque todos tenemos una idea de lo que son las estaciones del año, las fases lunares, los eclipses y las mareas, no siempre conocemos la explicación científica de estos fenómenos. Esta guía proporcionará la información necesaria. Todo lo que pedimos es un poco de paciencia y buena voluntad.

Las Estaciones del Año

La órbita de la Tierra es ligeramente elíptica y por eso la distancia entre la Tierra y el Sol aumenta o disminuye durante el año. Mucha gente cree que esa es la causa de las estaciones, pero no es así. Es la inclinación del eje norte-sur de rotación de la Tierra en relación al plano de su órbita alrededor del Sol la causa de que nuestro planeta tenga diferencias de temperatura durante el año.

Esta inclinación hace que el 21 de junio, en el Trópico de Cáncer en el hemisferio norte, los rayos del Sol incidan perpendicularmente, mientras que en el Trópico de Capricornio en el hemisferio sur hace que lleguen con mucha inclinación (ve la Figura 1). Por lo tanto, al mediodía en el hemisferio norte el Sol pasa muy alto, mientras que en el hemisferio sur pasa mucho más bajo. Esto significa que en el hemisferio norte un rayo de sol concentra su iluminación y calentamiento sobre una superficie mucho más pequeña que en el hemisferio sur, siendo evidente que en el primer caso estamos en verano y en el segundo en invierno. Otra consecuencia que hace aumentar la diferencia de temperatura entre los dos hemisferios es que en el hemisferio norte, en verano, el día es mucho más largo que la noche y por eso hay más calor.

En la primavera y el otoño, en latitudes iguales, tanto el hemisferio norte como el sur tienen las mismas horas de luz ya que el día y la noche duran 12 horas cada uno (ve la Figura 2).

Compara todo esto con la Figura 3, cuyo hemisferio sur está en verano.

En el Polo Sur el Sol no se pone durante las 24 horas del 22 de diciembre, mientras que en el Polo Norte pasa todo lo contrario. Finalmente, en las zonas próximas al ecuador, las diferencias entre el día y la noche en invierno, primavera, verano y otoño son tan mínimas que casi no hay variaciones de temperatura, es decir, casi no hay estaciones.

Las Fases Lunares y los Eclipses

Para comprender las fases lunares tenemos que saber que la Luna tarda aproximadamente 27 días en completar una vuelta a la Tierra (ve la Figura 4). También tenemos que saber que el plano de la órbita lunar no es paralelo al plano de nuestra órbita, sino que está levemente inclinado (ve la Figura 5), y que tanto la Tierra como la Luna están moviéndose en relación al Sol. De este modo, aunque la Luna siempre tenga una cara iluminada, nosotros sólo vemos distintas partes de la cara por las noches. ¿Qué consecuencias tiene esto?

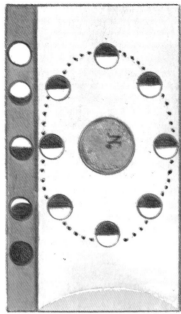

4

- Cuando la Luna pasa por la zona nocturna de la Tierra, lo hace generalmente por encima o por debajo del cono de sombra que la Tierra proyecta al espacio. Cu ᵗo hay Luna llena nos encontramos en este caso, porque la Luna se encuentra en la parte exactamente opuesta al Sol. Las variaciones de la órbita de la Luna hacen que algunas veces la órbita lunar coincida con la órbita de la Tierra en el mismo plano. Entonces, en caso de encontrarnos en Luna llena, la sombra de la Tierra tapará la Luna, los rayos del Sol no llegarán a su superficie y la Luna se oscurecerá. Estaremos presenciando un eclipse lunar.

- Cuando la Luna se encuentra en un costado de la Tierra, en la zona donde se encuentra el límite entre el día y la noche, la Luna está en cuarto creciente. Sale a media tarde y desaparece a medianoche, aunque es posible que no la veamos a causa del brillo del Sol.

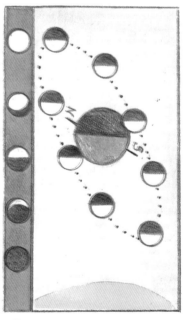

5

- Cuando la Luna pasa entre la Tierra y el Sol, generalmente lo hace por encima o por debajo de éste, y por lo tanto el pequeño cono de sombra que proyecta la Luna no incide en la Tierra, o sea que no nos tapa la luz del Sol. Decimos entonces que la Luna está en fase nueva. Si no fuera por el deslumbramiento solar, la veríamos durante el día. Las variaciones de la órbita de la Luna producen de vez en cuando un fenómeno excepcional: la interposición de la Luna nueva entre la Tierra y el Sol. Cuando esto ocurre, el pequeño cono de sombra de la Luna incide en alguna zona de la superficie terrestre y produce allí un eclipse solar.

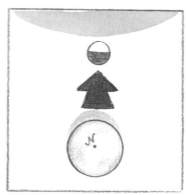

6

- Cuando la Luna se encuentra en un costado de la Tierra, en la zona donde se encuentra el límite entre la noche y el día, la Luna está en cuarto menguante. Sale a medianoche y no desaparece hasta el mediodía, si es que el Sol nos permite verla.

Las Mareas

Llamamos mareas al continuo subir y bajar del nivel de agua del mar debido a la atracción gravitatoria de la Luna y, en menor medida, del Sol (ve la Figura 8). El ciclo completo está formado por dos subidas, o mareas entrantes, y dos bajadas, o mareas salientes. Cuando el agua sube al nivel máximo hay marea alta, mientras que al llegar al nivel mínimo hay marea baja. La diferencia entre estos dos valores extremos del nivel de agua se llama amplitud de la marea. En lagos y mares cerrados, como es el mar Mediterráneo, la amplitud es tan pequeña que generalmente decimos que no hay marea.

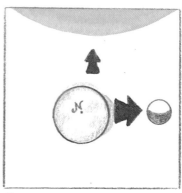

7

Los casos más espectaculares se dan cuando la Luna se encuentra en fase nueva o llena, porque entonces su fuerza de atracción y la del Sol actúan en la misma dirección, por lo que sus efectos se suman y la marea resultante tiene una gran amplitud: es lo que se llama marea viva (ve la Figura 6). Por el contrario, en las fases de cuarto creciente y de cuarto menguante, cuando la Luna y el Sol están en cuadratura (sus direcciones forman un ángulo recto en relación con la Tierra), las dos acciones gravitatorias son perpendiculares y por eso la

8

amplitud de la marea disminuye notablemente. Decimos entonces que hay marea muerta (ve la Figura 7).

Actividad Práctica

Los telescopios sirven para observar objetos grandes y lejanos. Cuando el elemento focal principal de los rayos solares es un lente, se habla de telescopio refractor. Cuando dicho elemento es un espejo, hablamos de telescopios reflectores.

Utilizando un sencillo telescopio que tú mismo puedes construir, podrás ver con más detalle muchas características del firmamento que son difíciles o imposibles de distinguir a simple vista. ¿Te gustaría construir un anteojo astronómico? El material necesario (ve la Figura 9) y el montaje son sencillos.

El sistema óptico de nuestro catalejo se compone de dos lentes:

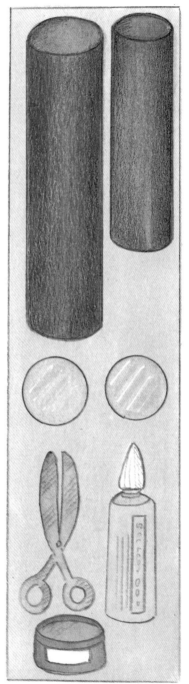

- Una lente objetivo que forma una imagen real, invertida, mucho menor que el objeto observado, pero mucho más cercana. Puedes usar una lente convexo-cóncava para presbicia o hipermetropía obtenida de gafas "para ver de cerca". Quizás debas llevar la lente a una óptica para que la tallen y le den la forma circular necesaria (o puedes ajustarla a la forma deseada con un marco de cartulina).
- Una lente ocular que se utiliza como una simple lupa para observar la imagen que nos proporciona la lente objetivo. La lente ocular es una lente divergente, al igual que la usada por miopes en gafas "para ver de lejos".

Cuanto mayores sean las lentes, mayor y más clara será la imagen. Es difícil indicar con precisión la distancia exacta que ha de haber entre estas dos lentes, pero se puede encontrar por aproximación: sosteniendo el objetivo verticalmente, míralo a través de la lente ocular y muévelo hasta que la imagen aparezca nítida. Luego mide la distancia que hay entre las lentes.

Respecto al cuerpo del anteojo (ve la Figura 10), éste se compone de dos tubos de cartón, A y B, confeccionados con dos láminas de cartón semigrueso y flexible. En el dibujo, el tubo externo es A. Pinta el interior de ambos tubos con pintura negra opaca.

- En el interior del tubo A coloca el objetivo. El diámetro interior de este tubo debe corresponder al de la lente. Si ésta mide 50 mm de diámetro, un tubo de 50 cm de largo será adecuado. Dos anillos de 3 cm de largo, pegados en el interior, mantienen fija la lente en un extremo del tubo. Para mayor facilidad, también puedes fijar la lente con un poco de silicona.

- Si la lente ocular mide alrededor de 40 mm de diámetro, el tubo B debe tener 25 cm de largo y un diámetro ligeramente inferior que A para poder encajarlo dentro del mismo y permitir un fácil desplazamiento hacia adelante y hacia atrás. Para evitar que B se salga o introduzca demasiado en A, puedes pegar topes de cartón. La lente ocular debe colocarse en una pieza de 4 cm de largo cortada del mismo tubo B. Reduce su diámetro para que pueda caber dentro del tubo B y fíjala con un poco de silicona.

Disfruta de tu nuevo telescopio y, si tanta es tu afición por la astronomía, puedes comprar lentes mejores o incluso un equipo telescópico completo.

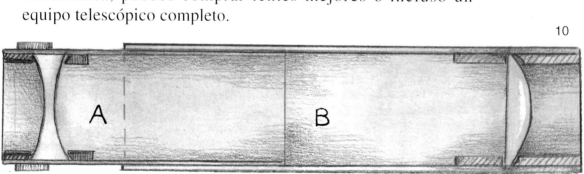